昨日と同じ今日が
続くと思って
にゃ…

子猫がいい〜
だよなぁ
ハハハ
またか…
みんな同じことを言う
ブッサイク
もう諦めた…
ハナクソ付いてるー
もっと小さい猫がいい〜
どうせ誰も私にゃんて欲しがらにゃい…
この猫をください

この猫をください

ええ!?

馬鹿にゃのかこのオッサン

嫁へのプレゼントか?娘へのプレゼントか?

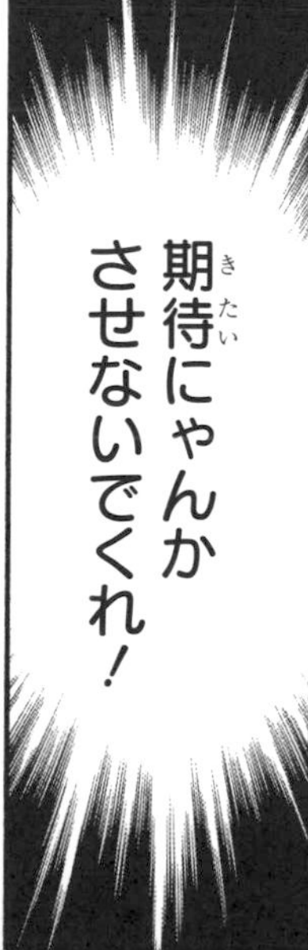

私が欲しくなったのです
とても可愛くて
可愛くて
うちの子におなり…

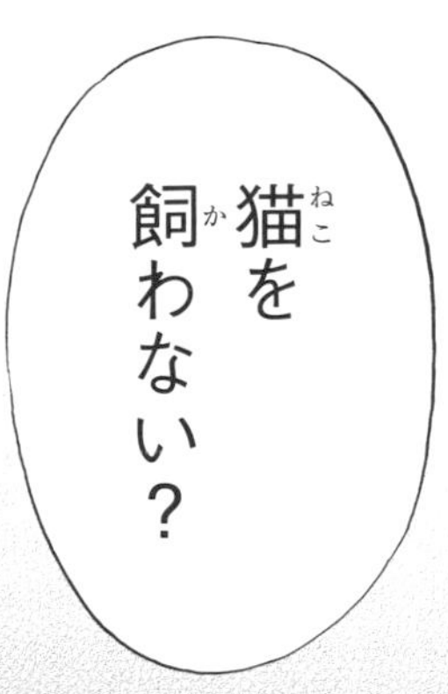

2話　ひとりぼっち

猫？
そう
子供の頃から一度飼ってみたかったの
子供たちが大きくなって
手が掛からなくなったら飼ってもいい？
構わないが
どんな猫が飼いたいんだい？
それはね…

ガタガタガタ

あなたに
決めてほしいの

ここには
私しか
住んで
いないからね

え？

こんなに
広いのに
独りぼっち
にゃの？

あなたは
独りぼっち
にゃの？

誰も…
¥90,000
撫でてくれる
人がいにゃいの？

コン

私がいるにゃ…

3話 ねこの名前

お前はなんと呼んでも返事をしてくれるのだな
にゃー
そうにゃー
いい子
いい子
あなたにならなんて呼ばれても嬉しいにゃ…
ゴロゴロ
ハナクソでもいいにゃ…
名前は大切な贈り物だからね
お前が気に入ってくれるといいのだが
昔も子供の名前を決める時
二人で色々考えて
考え尽くして
結局最初の名前にしたんだよ

ふくまる
お前の名前はふくまるだ

名前にゃんて
なんて呼ばれても
嬉しかった
一生もらえにゃいと
思っていたから…
でも
違うにょね
ふくまる
にゃー
嬉しいって
限りが
にゃいにゃ

4話 おじさまお買い物をする

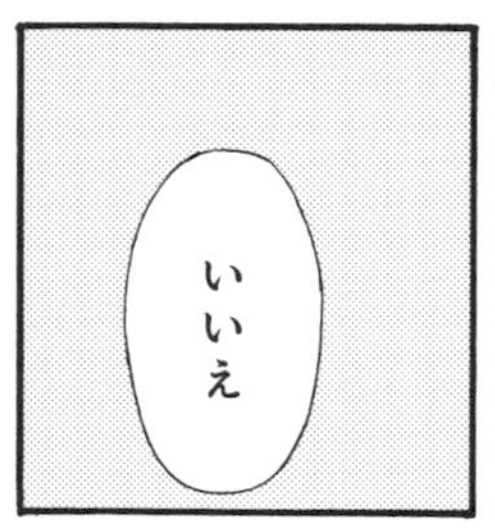

こんなに楽しい買い物

久しぶりでした

忘れていた…

誰かの
顔を思い浮かべる
買い物は

楽しいのだ

ふくまる

ほら

猫ハウス
だよ

この箱とってもフィットするにゃああ
にゃーん
それともうひとつ忘れていた…
ははは
思い通りにはいかないものなのだ
そうか気に入ってくれたか
ゴロゴロゴロ
なのに幸せなんだよな
ゴロゴロゴロ

5話 スーパーミラクルカリカリ

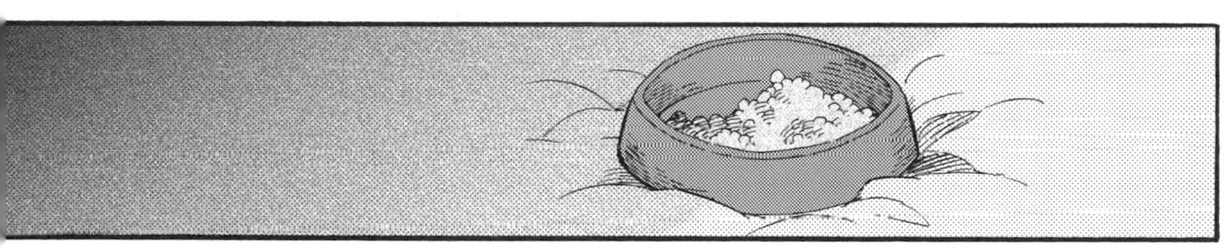

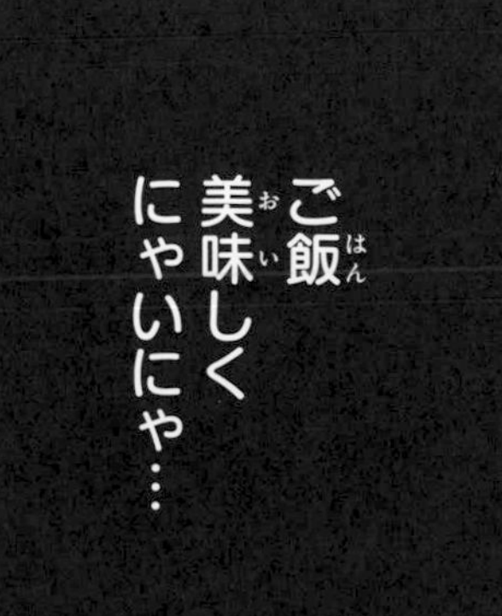

美味しいかい
ふくまる
うにゃ
うにゃ
ガツ
ガツ
ガツ
ガツ
美味しいかい
ふくまる
うにゃ
うにゃ
ガツ
ガツ
美味しい
にゃぁぁあぁ！
こんにゃに
美味しいご飯
初めてにゃ！
これはきっと
スーパーミラクル
カリカリにゃ！

いつものご飯を
買っておいて
よかった

よく食べて
くれるなぁ

「うちであげていた
ご飯も
買っていくと
いいですよ」

ガツ
ガツ

カラ

にゃ

駄目だぞ
ボワッ
!?
店員さんに注意されただろう
エキゾチックは肥満になりやすいので食事量には気を付けてくださいね
だが…
三粒位なら許されるかな
にゃー
パラ
パラ
ガツ
ガツ
本当はふくまる同じカリカリだってこと知ってるにゃ
うにゃうにゃ
それでもこれはスーパーミラクルカリカリにゃ

6話 猫を飼ったんだ

名前はふくまる
とても利口でこんなに可愛い猫だよ
猫って柔らかくて
とても温かいんだね
君が話していた通りだ
優しい声にゃ…

でも誰に話しかけているにょ？
目の前には誰もいにゃいのに
きっと
ふくまるには見えにゃいだけで
この人の目には見えているにょね

だって

こんにゃに優しい目と

声は

誰かに向けにゃいと出てこないものにゃ

ただ見てほしかったにゃ
もうずーっと一緒にゃ
おや付いてくるんだね
とととと
なら お風呂も一緒に入るのかい？
にゃん
パタン
ごゃあああ
ごゃあああ
ポローン
ふくまるぅ
ガタガタガタ
一緒にいられない場所もあるによね…
あわあわ
ごめんよ ごめんよ
ガタガタ
ガタ
ふくまる

ふくまるを洗ってあげようとしたら

吹っ飛んだ

7話 お休みふくまる

そして隙間の中へ

プルプル

ふくまる
ふくまる
出ておいで

猫は一度嫌な思いをすると

一生忘れないと言われています

ねこごころ

まさか

一生この中なのか

駄目だ
ふくまる

飢えて
しまうよ

あわ あわ

あああ
更に奥に

ズリ ズリ

怯えている
猫を構うと
更に嫌われます

ごめんよ
ふくまる！

駄目だな…

ふくまるは
何が嫌い
なんだろう

何が好き
なんだろう

何処を撫でれば
喜ぶ？

側にいてほしく
ない時もある？

ふくまる

君はここにきて
幸せなのかな…

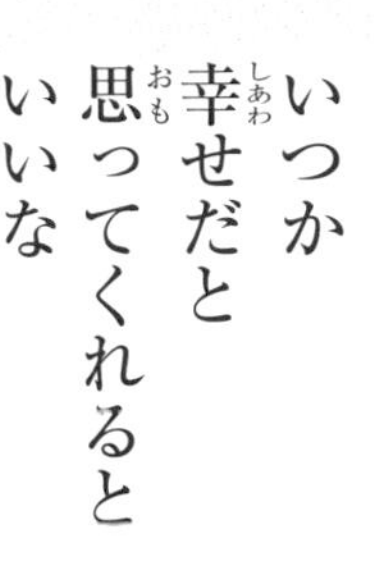
いつか
幸せだと
思ってくれると
いいな

ガラ

待っていて
くれたのかい？
そう
私が思いたい
だけなのかも
しれない

ふくまるは優しいね
勝手な解釈かもしれない
それでも君のちょっとした行動ひとつで私の心は温まるんだよ
起こしちゃ悪いか
お休みふくまる
パチ
その夜夢を見た
妻と子供たちに囲まれた
何度も繰り返したありふれた日常だった
君がいたこと以外
にゃん

8話 おやすみおじさま

夜…
お疲れさまでした
お疲れさま
お店が暗くにゃると
時々
たまらにゃく哀しくにゃる時がある
そんにゃ時はママさんのことを思い出すにゃ
どでっ
ごはんよ

まんま、
まんま、
まんまー
ふくまる
生後3週間
ママ
しゃーん
ととと
ちゅー
ちゅー
ちゅ、
ちゅ、
コロッ
よじよじ
あわあわ
ぷっ
あんたは本当に
どんくさいわね
じ〜…

パッ

あの人は私の何かにゃ？
とととと
ママさん？
ママさんじゃにゃいけど
この人の側にいると
夜…
哀しくならにゃいから
きっとパパさんにゃのね

トイレの猫様（前編）

トイレは必需品
早々に猫砂を一袋入れてみたが
ザー…

すか〜〜
こんなに少なくて平気なのか？

これではふくまるがトイレだと認識しないかもしれない
心配だ
もっと追加しよう
ザー
ザザー
ザザー
余分に買い置きしておいて助かった

後にこの判断が絶望を呼ぶ
どーん
よし！
みっちり

ここが
ふくまるの
トイレだよ
みっちり
フンフン

は？
ズバシュ!!

え!?
これ何!?
こんなに
掘るのか!?
それに
何回掘れば
納得するんだ!?
ザザザザザ

うーーん
そして
ふくまるは
穴を外して
用を足した…
砂減らそう…
うーん
プルプル

トイレの猫様（後編）

しかし
トイレ中の
猫とは
プルプル
う〜ん
う〜ん
こんなに
可愛いもの
なんだな
う〜ん

ポコ

は？

ダダダダダダ
あぉ〜
たしか猫は
排泄物に
砂を被せるはず
テレビで
見たことが
あるぞ
あぉ〜
あれ？
ダダダダダダダ

しかも
出しきって
いなかったのか

ザッ ザッ
そっちは
かけるのか

ふくまるが
急に大人しくなった
しゅん
気にしているのかな

怒らないよ
生きているのだから当然だ
ザッ
ザッ
ザー
それに
人間の子供より手が掛からないくらいだ

ふくまるは賢いね
一目でトイレだとわかったんだ
凄いことなんだよ

でも知らなかったな
猫のトイレはあんなに騒がしいんだね
ははは
そう
賑やかなのはいいことだ

トイレの猫様 その後

飛び散り防止の為にトイレに蓋を付けてみたが…
じー……
ふくまるが入らない

パカ
無い方がいいのかい

おお!
フンフン
入っていった

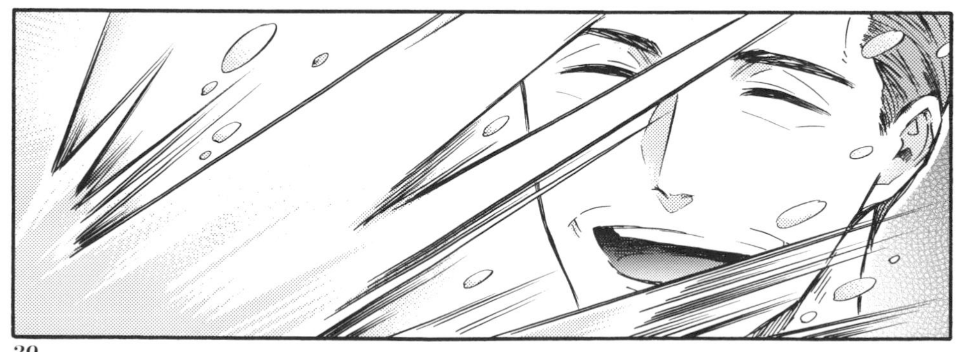

こうして
ふくまると
おじさまの
長い一日が
終わりました。

9話 もみもみふくまる

パパさんが
いる

夢じゃ
にゃいにゃ…

じ〜〜ん

安心したら
また眠く
にゃってきたにゃ

お布団
気持ちいいにゃ

すぴー

すぴー

すぴー

ほっ…
パパさん
いるにゃ
でも
本当にそこに
いるにょ？
夢じゃ
にゃいにょ？
確認
するにゃ
うにょ〜ん
ピト
もみもみ
もみもみ
ずるずる

ふくまるは下で寝るにゃ

寒くないかい
ふくまる
いい子…
いい子だね…
すー
むにゃむにゃ
すー
すー
パパさん…
パパさん大好きにゃ
もみもみ
もみもみ
人の眠りは深い
パパさんは寝ていたにょね
それでもふくまるを心配してくれるにょね

見てあなた
猫がいるわ
10話 おじさま目覚める
あら撫でさせてくれるのね
いい子
ゴロゴロ
いい子ね
あなたも触ってみる？
生き物を飼ったことがないんだ
私は遠慮しておくよ
どう触れればいいかわからないし
怖がらせてしまったら可哀想だ
まあそう思っているの
ゴロゴロゴロ

ならきっと
ペットはあなたのことが大好きになるわ
ピピピピピ

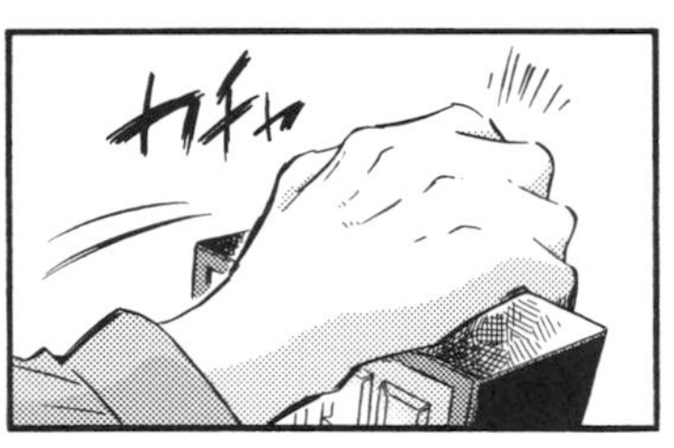

ふくまるが
隣で寝ている
じ〜ん

もはや私がふくまるの隣で眠らせてもらっているようでもあるが…
で〜ん

すぴー
すぴー

嬉しい
ペットは
あなたのことが
大好きになるわ
そうだろうか…
今はまだ
手探りだけど
ふくまる
いい子
いい子
だね
なでなで
いつか
そんな日が
くるといいな

おじさまはふくまるを撮りたい

ふくまるが立った

11話　ふくまるのお留守番

3秒後

5秒後

10秒後

寂しいにゃぁああ

ふにゃぁああぁ

寂しいにゃぁあ

ダダダダ

ダダダダ

寂しいにゃぁあ

だだだだだ

寂しいにゃぁあ

ぴょん

この透明な壁が嫌いにゃ

パパさん…
見えるのに側に行けにゃいにゃ

声も届かにゃいにゃぁあ
にぁああああぁ

ふくまるは
大丈夫

あの頃とは
違う
¥270.000

ここは
ふくまるの
おうち

パパさんが
帰ってくる
おうち
にゃん

私はあまり
動じない
性格だと言われる
神田先生
俺また
フラれたん
ですよぉ！
モテる秘訣を
教えてください
森山先生
何てことを
神田先生に
聞いてるん
ですか！
12話　おかえりにゃさい
わから
ないです
ウッソ
だぁあ！
私が
お付き合いした
女性は
妻だけなので
マジですか！
もったいない
森山先生！
今度
合コンに
行きませんか
森山ァ！
ダッ
あっ
ガッ

ドサッ
おっと
お怪我はありませんか？
は…はい
では お先に失礼致します
お…お疲れ様です
カッコイイ…
やっぱ男は顔かぁ
なわけないでしょ
本当に…

動じない性格ならよかったのだが…

おはようございます

あ！

神田先生おはようございます

ん？

では私は先に教室で待機させていただきますね

神田先生！そこ違う部屋！

フラ～

ガチャガチャ

あ…すみません

あせあせ

あっ

カモン

ザッ

神田先生!?

自明の理

すみません!
大丈夫ですか
森山先生!

神田先生どうしたんですか

具合が悪いなら休んだほうが…

大丈夫です

ふくまる…
君が心配でしょうがないよ
昔よく妻に言われたな
また何日も帰れなくなるが大丈夫かい
困ったら電話するんだよ
それから それから
ふふ
あなたは心配性ね
でもそういうところ
好きよ
「大切にしてね」
神田先生お疲れ様でした
お疲れ様でした
お疲れ様でした
体力には自信がないが…

今日は走って帰ろうか

いつもと同じ帰路が

街が…

眩しいくらい

キラキラ輝いて見える

ふくまる

早く君に会いたいよ

ふくまる！待っていてくれたのか！

にゃああん

そうか！待っていてくれたのか！

にゃああん

ふくまる

ぎゅ

不思議だ…

久しぶりに
我が家に
帰ってきた
気がするよ
ふくまる
ただいま
ただいま
にゃん

13話 忠猫ふくまる
パパさんが出かけてから
随分経ったにゃ
ぐ〜…
ご飯は入れておいたから後でゆっくり食べるんだよ
のろのろ
ご飯食べるにゃ
もぐもぐ
もぐもぐ
もぐもぐ

ふくまるは…
駄目な子だから
考えてしまう
パパさんは
もう帰って
こにゃいんじゃ
ないかって
だって…
誰もふくまる
にゃんて
欲しがらにゃい

そんな
はずにゃい！
ガッ
負けるにゃ
ふくまる
パパさんを
信じるにゃ
パパさん
だって
きっと
今頃
どこかで
絶対
ほんの
少しくらい
ふくまるを
想っていて
くれるにゃ

ガチャ
ふくまる
ダダダダ
にゃあああぁ
ふくまる！
待っていてくれたのか！
そうにゃ
そうにゃ
おかえりにゃさい
パパさん

おじさまはふくまると写りたい

ベストショット

猫転送装置
テープや紐で囲うと驚くほど猫がホイホイされます

カチカチ
ほう
不思議な習性があるのだな

いそいそ
ひも

よし

ベストショットだ!
ズザーッ!!
だがシャッターは押し忘れた…

やっぱり犬だな
犬は可愛いぞ
14話 うちの子が一番
今朝野良猫に触ろうとしたら引っかかれた
いてーっ
猫は危険だな
小林野良猫に触ろうとするからだろう
いいじゃないか少しくらい
何のためのモフモフボディだ
うちの茶子ちゃんなんていくらでも触らせてくれるぞう
茶子ちゃんきた！
どん
ペラペラペラペ
見ろこの艶やかな毛並み
つぶらな瞳
今日も会社に行く俺を引き留めてくれたんだ
こんな可愛い生き物は他にいないね
世界で一番だろう

お前も犬を飼え

親友の俺が言うんだから間違いないぜ！

そう言って犬の写真を見せつけてくる

この男の言葉が…

カシャ

今なら少しわかる

なんだこのブサ猫は

犬を飼え

うちの子が
一番可愛い

その言葉に

誰かの
同意がほしい
わけじゃない

ふくまるに
出会って
わかった

飼い主は
そう言いたくて
言いたくて

仕方がない
だけなのだ

パパさんが

部屋に入っていった

15話 ふくまると黒いの

ちょっと離(はな)れてるけど…

にゃ

にゃ

にゃ

カリ カリ カリ カリ

にゃあああ

ごめんね
にゃーん
パパさーん
一緒にいたかったんだね
よじよじ
ふくまるを見ていると
子供たちのことを思い出すよ
ゴロゴロゴロ
部屋に入れると騒ぐから外に出すのだけど
だからまた入れてしまうのだけれど
それでももっと入れてあげればよかったな
扉の向こうで悲しがって泣くんだ
また二人して騒ぐんだよ

どんな物よりたいせつ
大切な時間だったのにね…
これはにゃに？

大きくて
黒くて
ギラギラしている

これはにゃんだろう？

ぴょん

ポロロロロン

黒いの怖いにゃあああああ

ガダン

ふくまる!?

どうしたんだい

ガタガタガタ

もしかして怖いのかい？

大丈夫だよ
ポロン
これはピアノと言ってね
ただの楽器だ
でも子供の頃
私はこれが怖くて仕方がなかった

そして今も
パパさん？
どうしたにょ
どうしたにょ
どうして
黒いのに
そんな目を
向けるの
にゃんか
にゃんか
嫌だ
ふくまる
もにゃもにゃ
するにゃ
胸が
もにゃもにゃ
するにゃ
あの
黒いのに！

でーーん
ふ…
ふくまる
何をしているんだい
ポロローン
ポロローン
しねしね
プッ
困った子だね
ハハハ
ふくまる～
ぎゅうう
にゃはは
ふくまる
黒いのに
勝ったにゃ

動かざること山の如し

洗濯物を畳み中

ふくまる
洗濯物の上に乗ったら駄目なんだよ
にゃん

そうか！
ふくまるはわかってくれたのか
にゃん！

ふくまるは賢いなぁ
にゃーん
だがふくまるは動かない

耐えるおじさま

今日も
ふくまるが
一緒に寝て
くれている

幸せだな

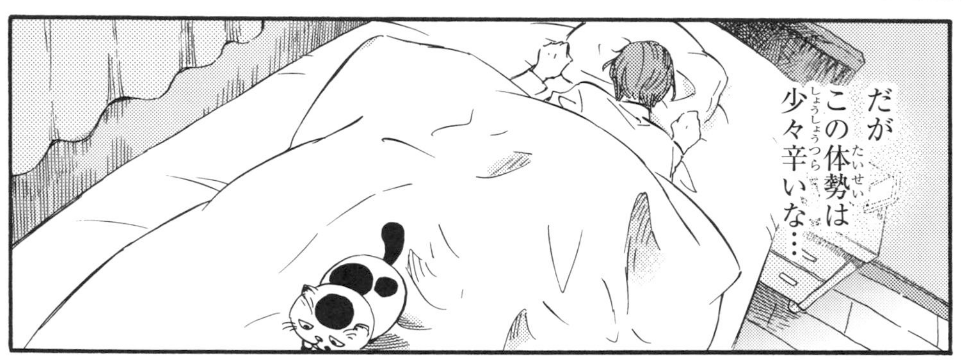

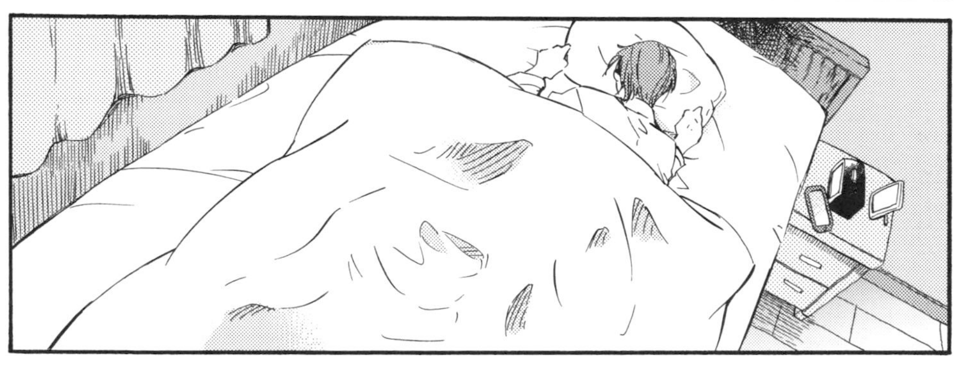

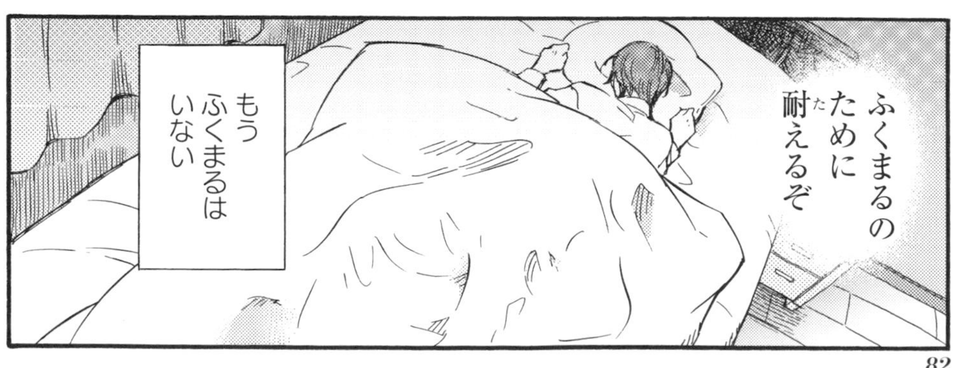

安心安全設計

普通の首輪と
セーフティ首輪

どちらにいたしますか？

セーフティ首輪？

はい

いざという時に外れるように作られているんですよ

例えば前足が入りたすき掛け状態になった時

口に引っかかり猿ぐつわ状態になった時

枝やドアノブに引っかかり首吊り状態になった時

外れるように
作られて
いるんですよ

セーフティ
首輪で
お願いします

帰宅後

ふくまる

カチッ

よし!

ピッタリだ!

可愛い・・・

ふくまる
とても
似合ってるよ

カリ
カリ

ブギィ

ふくまるは

この黒いのが嫌いにゃ

ヴ~!!

端から攻めるにゃ

何であんなに
パパさんを
惹きつけるにゃ

バリバリバリ

ドリドリ

お前にゃんか
こうにゃあああ!!!

ドリドリドリ

気持ちいにゃ
あああああ!!

あつ
ビリッ
パパさーん
どさっ
くらっ
翌日…
もふっ
にゃんだ
これは!?
モフモフで
爪が通ら
にゃいにゃ
もふ
もふ
もふ
もみ
もふ
もみ
もみ
もみ
もみ
もみ
にゃはは
ここは
ふくまるの
場所にゃー
もふっ
弾けない…

おじさまの草日記

1日目
これは猫草
猫が食べる
草らしい
だが
ふくまるは
食べない

5日目
随分伸びた
これなら
いくらでも
食べられるよ
だが
ふくまるは
食べない

12日目
花も咲かず
実もつけず
草は枯れて
いった…
私はもう
買わない

…と思って
いたのに
1か月後
何故また
猫草を買って
しまったんだ!
やはり
ふくまるは
食べない

ふくまるトラップ

透明な壁から
見える景色が
広がったにゃ
透明な壁から見えるもの

カッ
カッ
カッ
カッ
カッ
カッ
カッ
カッ
カッ
フリ
フリ
ボ〜ン
にゃ
にゃ
ペロペロ

パパさん
にゃあああ
にゃあああ
ふくまる
見ていてくれたのかい
にゃにゃにゃにゃ
カリ
カリ
カリ
そっちに行くにゃ
ダメダメ出せないよ
もうすぐ終わるから
後でお昼寝でもしようか
にゃん
あの場所とは違って
ここから見える景色は
人通りも少にゃいし
変化もにゃいけど

ふくまるは
こっちが
好きにゃ
毎日・・・
毎日
見ていても
飽きにゃい
世界が
あるにょね

君(きみ)の可愛(かわい)い猫(ねこ)

友人の神田が
猫を飼った
あいつが
猫か…
むぎゅううっ
可愛いでちゅね〜
想像付かん!
つい茶化したメールを送り返してしまったが
ふくまるがブサイクだとォ!
ガガッ
あいつ怒ってるだろうなぁ
猫を飼いました。名前はふくまる。可愛いです。
何だこのブサ猫は
だがな…
わー
可愛い猫ちゃんですね〜
可愛い猫ちゃんでしょう
言えるか馬鹿!!
恥ずかしいわ!!

でもな……
ちょいちょい
クーン
どうした茶子　構ってほしいのか
ワウ
ワウ
「ペットは大切な家族だ」
貶しちゃいけないよな
謝ろう

俺ってなんて良い奴～

ピンポーン

神田ー

ピンポーン

神田ー 俺だぞ

ピンポーン

神田ー 俺おれ～

ピンポーン

ピンポーン

ピンポーン

ピンポーン

うるさいぞ小林

ガチャ

よう！神田 久しぶりに来たぜ

猫用のプレゼントだ
猫缶とかおやつとか色々入ってる
ありがとう
俺貰いものでこれが一番嬉しいんだよ
自分のじゃないのにさ
ああ
わかる
あとな
ごめんな
猫のことぶさいくとか言って
つい茶化しちまう
俺の悪い癖だ
じゃな
それ渡しにきただけだから

待てよ小林
寄って行かないか
ふくまるを紹介したいんだ
神田
くっそー だったらケーキ買ってきたのに
お前が食べたいだけだろう
神田といると安心する
きっと素直に気持ちを返してくれるからだろう
友達と言える存在なんて
気が付けばこいつだけになってしまったけど

ちっとも寂しくないんだぜ
お前はどうだろう
寂しいか
ふくまる～
寂しいよな
お前が猫を飼ってくれてよかった
友達では埋められないものを
ふくまる怖がらなくていいよ
よしよし
動物は埋めてくれるよ
ほら友人の小林だよ

こんな顔の猫でも…
可愛いだろう
本気で可愛いと思っていたのか
お…
おう
ゔ〜…
40年以上の付き合いでも知らないことがあるんだな
グッ
か…可愛いな

ぱあああ

ふくまる可愛いって言われたよ

嬉しそうだな

猫は本心じゃないって気付いていそうだけど

シャーッ

久しぶりにこんなに笑うお前の顔を見たよ

神田(かんだ)をよろしくな

君に約束

うちの職場は女性が多い
なんせ男は39人中

この俺森山良春と
どん

どん
こいつだけだ

名前は何だっけなー
影中…
影中敬だ!
おはようございます
影中先生

おはっぴ〜ん
にぱにぱ
耐えろ俺

女性は好きだけど
職場で気軽に話せる同性がいないのは正直きつい
今日新しい先生が来るんだって
へー
しかも男性
マジか！

初めまして
神田冬樹です
イケメンだぁあああ!
ありがたや～
年は離れているけどすげぇまとも
すげぇ紳士な感じ
初めまして森山良春と申します
キリッ
こちらこそよろしくお願いいたします

すげえ
いい匂いがするう
木になる木
男なのに
男なのに
胸が高鳴る
眩しい
後光が射して見えるぜ
この衝動はあれに近いな
ライブで
本人を目にした時
細胞の全てが
彼にひれ伏した

?

かきかき

あれは歌詞を書き留めているんですよ

ライブは即日完売
1万人を超える観客を前に
臆することなく声を張り上げるんです
俺の掛け声ひとつで会場が沸き立ち
観客全ての情動が俺と重なるんです
怒り
恐れ
悲しみ
喜び
その日
その時だけは

彼らの人生を俺だけのものにする
臭いわ!
素敵ですね
え!?
え!?
聞いているだけで情景が浮かぶ
君は詩人ですね

その時になったら
秘密にせずに
呼んでくださいね
貴方の声を
側で聴いてみたい
もちろんです！
どやどや
すぐ調子乗る
やべぇ
すげぇやべぇ…

超嬉しい
第一印象も良かったのに
どこまで好感度上げていくんだ
こんな人類存在してたのかよ

気になるふくまる

ふくまるの誘惑

作業中は高確率でこうなる

ふくまるはそこが好きだね

出会いと別れ

佐藤さん
これ運んでください

はい！

私がここに来たばかりの頃は…

¥300,000

あなたはまだ小さな子猫だったね

変な顔の猫がいる

それエキゾチックショートヘアって言うんですよ

へー

でもよく見るとぶちゃいくで可愛いかも

早く良い飼い主さんが見つかるといいね

値段

こんなに下がっても買ってくれないんだ
値段だけじゃないんですよ

10年以上生きるんですから

もう うちの子にしちゃおうかな
止めときなよ
切りが無いですよ

泣いているの？
またか
鼻つぶれは
涙が漏れやすい
ですよ
目ヤニが
付きやすいし
飼いにくい
品種ですよ
うん
この子は…
更に
可愛くなったよ

私の言葉が
通じている
気がするの

動物に
人間の言葉が
わかるわけ
ないでしょう

そう
言われるけど

全てじゃ
なくても

伝わるものが
あると思うの

今日も
可愛いね

この子が
私の言葉に
反応しなく
なっているのが

可愛いね

私に
伝わるように…

あの

この猫をください
え!?
¥300.000
¥300.000

あの子のことを指して言ったような
見間違いのような…

¥90.000
この猫をください
あの子だ！
間違いない

プレゼントですか？
いいえ

私が欲しくなったのです
とても可愛くて
可愛くて
その短い言葉は…

あの子の瞳に
光を灯したのよ
こんなこと
言ったら
笑われるかも
しれないし
私の見間違い
かもしれない
でもいいの
私は
そう思いたいんだ

良かったね

幸せになるんだよ

なでなで

うんと可愛がってもらうんだよ

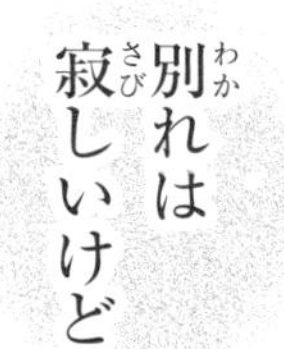

元気でね
可愛い子

ふくまると一緒(いっしょ)

鍵盤の
ようだと思った

まるで
他人事の
ように
朦朧とする
頭で
考えていた

あの日
私が憶えている
景色は

それだけだった…

あー
猫ふんじゃっただー！
先生ー！
何かいいことあったの？
え？
ほら
先生に挨拶しないとだよね？
先生ー！
今日もよろしくお願いしまーす！
こちらこそよろしくね
みんな凄いね
確かに良いことがあったんだよ
何でわかったんだい？
えとね
10
10

グザッ

先生が珍しく元気な曲弾いてたからだよ

ひとりで弾いてる時はいっつも暗い曲だもん

じめじめしてる

グザ

グザ

グザ

なめくじ？

わーっ

こらやめなさい

ねこー！

わあぁぁぁあ

どんな猫？どんな猫？

牛のような
ブチ模様でね
つんつん
鼻の横に
黒丸が
付いているんだよ
ハナクソだー
ハナクソだー
ふふ
ふくまるの話を
していると
あの日の
出会いが
いくつも
いくつも
鮮明に
浮かび上がる

きっと
何年経っても
色褪せないだろう
♫
レドラ
♪
シドレミレー
♪
ソラシドシー
♪
レドラ
シファソ
この子
たちにも
そんな
思い出が
沢山
できるといいな

ただいま

にゃあああ

ふくまる
いつもお迎えしてくれるんだね
にゃあああ

いい子
いい子だね

今日は子供たちにふくまるのことを話したんだよ
凄いね
ピアノの授業より目を輝かせていたよ
先生としては失格かもしれないけど
はは…

私の目も
輝いて
いたんだろうね
ふくまる
明日
新しい曲を
教える
予定なんだ
予習するから
聴いて
くれるかい?
おいで
とととと
ガチャ
にゃーん
ととと
とととと
ぴょん

ゴロゴロ
そうなる予感がして
新しい椅子を用意したんだよ
ガタッ
よし
……
ぴょん
じゃあ
そこで聴いていてね
ポロン
バーン
ポロン
ポロン
くねっ
くねっ
ふ…
ふくまる…

私が弾くことを止めてくれたのは
ふくまると…
妻だけだよ

でも
ポロン
ポロン
ポロン
弾くなと
言われると
弾きたく
なるな
さあ
ふくまる
どこまで
邪魔できる
かな
おや
ふくまるも
弾くのかい
じゃあ
セッション
しようか

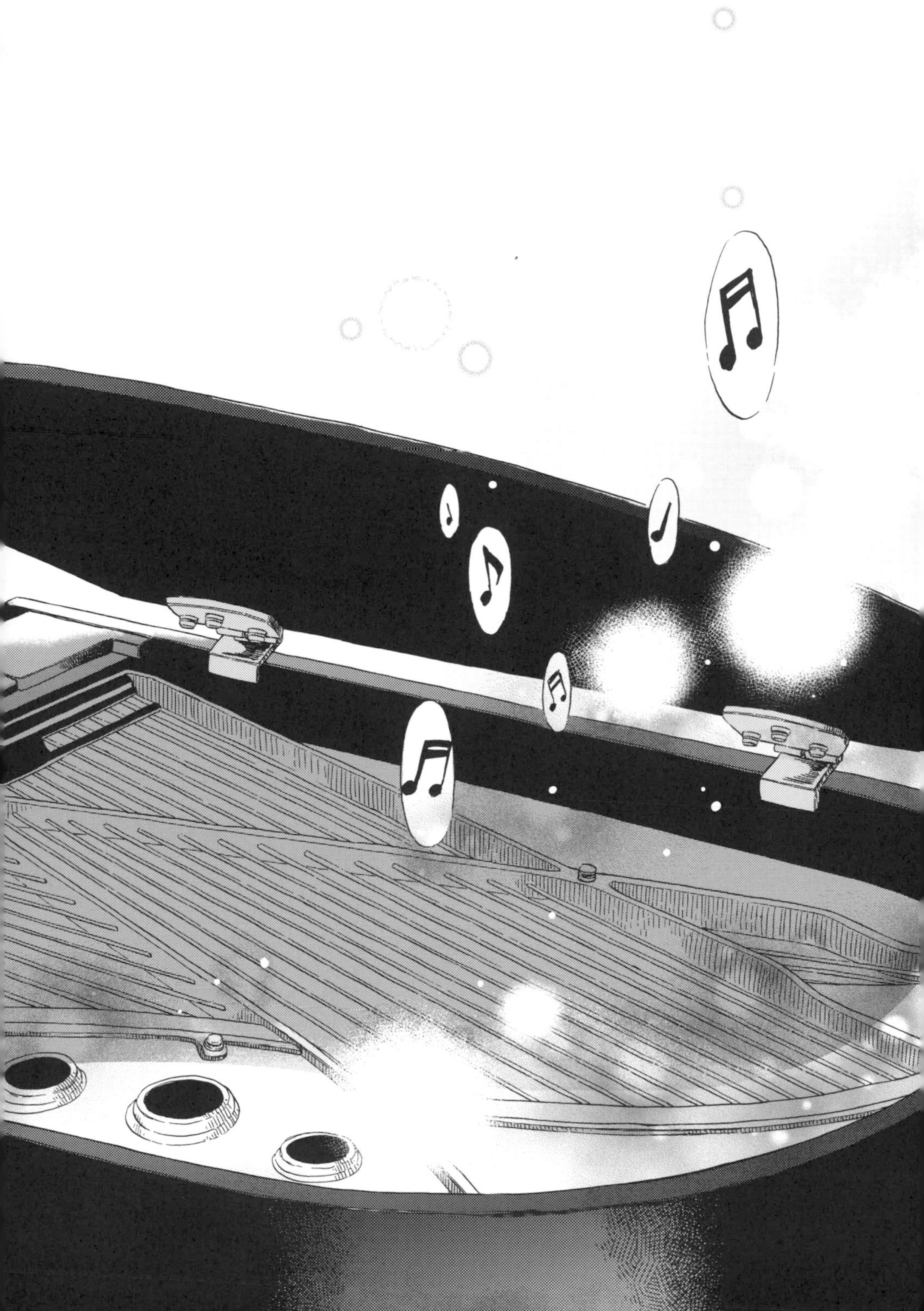

あなた…

パチパチ
パチパチ
すごい！
すごいわ！
パチパチ
何を弾いても感動するのよ
パチパチ
あなたは魔法の手を持っているのね
あ…ありがとう
特にこの曲は大好きなのよ
ねえ
もう一度聴きたいわ
きらきら星変奏曲
あなたが私のために初めて弾いてくれた曲だもの！
ああ
何度だって弾くよ

君の為なら…
ぽろぽろと
優しい
音とともに
思い出が
鮮明に
溢れ出してくる
まるで
君がいた時
みたいだ
こんな
気持ちで
弾けたのは…

ふくまる
君のお蔭なんだよ
おじさまと猫1　おわり

「おじさまと猫」は何気なく描いてツイッターに載せた猫漫画でした

猫好きなので一度は猫漫画を描いてみたいと思ってはいたのですが

何故ペットショップを選んだのかは今となってもわかりません

ただペットショップを通ると度々目に入る成猫

言葉では言い表せない気持ちを漫画にしていました

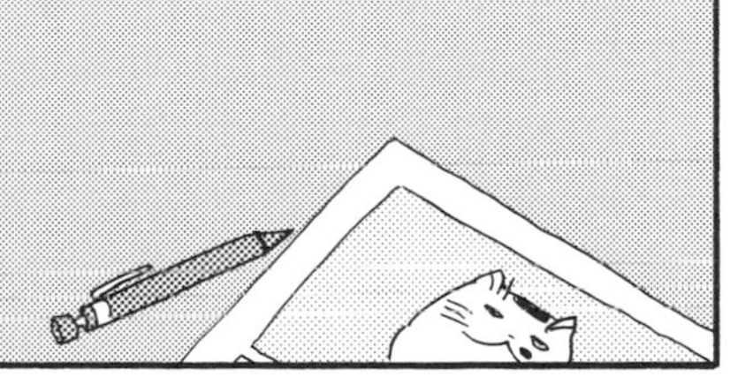

アシスタントさん

山さん　宇鉄さん
北さん　山田さん　今井さん
松本さん　樹さん　まにさん

スペシャルサンクス

ヤマハ音楽教室高田馬場
堀川さま
卑弥呼さま

堀井担当さん

この本に
関わってくださった
全ての皆さま

ありがとう
ございました